LÉGENDES DE L'AMÉRIQUE FRANÇAISE

LÉGENDES DE L'AMÉRIQUE FRANÇAISE

JEAN-CLAUDE DUPONT

7e édition 1991

Légendes de l'Amérique française
2700, rue Mont-Joli
Sainte-Foy, Québec,
G1V 1C8
Tél.: (418) 659-1321

Dans la même collection:

1. *Légendes du Saint-Laurent, I*
2. *Légendes du Saint-Laurent, II*
3. *Légendes du Cœur du Québec*
4. *Légendes de l'Amérique française*
5. *Légendes des villages*

On peut se procurer les diapositives en couleur des tableaux représentés dans ces fascicules.

ISBN: 2-9801550-3-9
Dépôt légal, troisième trimestre, 1985.
Bibliothèque nationale
du Québec
et
Bibliothèque nationale
du Canada

PRÉSENTATION

En faisant l'acquisition des toiles de Jean-Claude Dupont portant sur les légendes de l'Amérique française et en les rendant accessibles au grand public, le Secrétariat permanent des peuples francophones estime posséder un moyen unique en son genre de diffusion culturelle sur la francophonie d'Amérique du Nord.

Cette collection, dont voici le catalogue, est intéressante sous plusieurs aspects. Soulignons d'abord que l'auteur est un ethnologue réputé, professeur à l'université Laval de Québec où il est aussi chercheur au Centre d'études sur la langue, les arts et les traditions populaires des francophones en Amérique du Nord. Les légendes qu'il présente ici ne constituent qu'une partie de la vaste recherche en littérature orale qu'il a entreprise sur l'ensemble des contes, légendes, coutumes et chansons de l'Amérique du Nord d'expression française; il a jusqu'à ce jour recueilli des milliers de témoignages de cette culture traditionnelle.

Monsieur Dupont, en outre d'être un scientifique, est aussi, et le cas est plutôt rare, un peintre du genre dit naïf, forme d'expression convenant on ne peut mieux à l'illustration d'un corpus de récits populaires. Jean-Claude Dupont est ainsi un bel exemple de travailleur universitaire qui a trouvé le moyen de diffuser ses connaissances en dehors du cercle habituel de l'étude et de la recherche.

L'un de nos grands écrivains et conteur, Jacques Ferron, s'est interrogé sur l'art du conte et il convient ici de citer une de ses réflexions qui pourrait servir d'exergue à ce petit livre:

> ...Il y a quelque chose de religieux dans le conte, en ce sens qu'il doit se tenir à la portée de tous, des plus petits, des moins doués, des simples. Sa pudeur, en même temps que sa malice, sera de cacher tout ce qui ne leur est pas accessible, quitte à véhiculer des symboles, à devenir énigmatique, à intriguer les moins simples, les savants...

(*Du fond de mon arrière cuisine*, Montréal, Éditions du jour, 1973, p. 37)

Jean-Claude Dupont a sans doute été intrigué par les récits populaires mais il n'a pas voulu ajouter une énigme savante à celles qu'ils contiennent déjà; il les a rendus simplement, montrant en cela qu'il est lui-même, en quelque sorte et à sa manière, un excellent conteur.

Ces traditions de la parole qui, dans la plupart des cas, originent de l'Europe française, ont trouvé depuis au-delà de trois siècles un territoire fertile à travers notre continent. Le Secrétariat permanent des peuples francophones est heureux de contribuer à en perpétuer la mémoire, faisant ainsi connaître la couleur particulière qu'elles prennent lorsqu'on les raconte en Amérique du Nord.

À travers cette collection de tableaux, on peut sans peine refaire, d'hier à aujourd'hui, l'itinéraire qui est le nôtre, Français d'Amérique, depuis Terre-Neuve jusqu'au Yukon en passant par l'Acadie, le Québec, l'Ontario et l'Ouest canadien, et de la Nouvelle-Angleterre jusqu'en Louisiane, en passant par l'état de New-York et le Midwest américain. En faisant connaître cette collection, le Secrétariat souhaite qu'on explore cet imaginaire collectif de la civilisation française, souvenir du passé, présent dans notre quotidien et, chose certaine, longtemps encore dans notre futur.

Louis Dussault,
Directeur général,
Secrétariat permanent
des peuples francophones.

L'UNIVERS LÉGENDAIRE

Les Français d'Amérique possèdent leur littérature orale héritée des générations précédentes. Parmi ces récits transmis de bouche à oreille en Amérique du Nord mais d'origine française, se situent les légendes, courts récits auxquels les Anciens prêtaient foi. Elles ont toujours répondu à un certain besoin psychologique, celui d'assurer la sécurité. Au sein de cet univers merveilleux qui rejoint le sacré, nous voyons agir des humains qui, redoutant la solitude, étendent leur espace pour se rassurer; ils libèrent la nature, apprivoisant ou supprimant des esprits mauvais, utilisant pour ce faire des moyens religieux ou magiques. Il faut cependant reconnaître qu'en 1985, c'est surtout une valeur patrimoniale qu'on attribue à ces récits.

Si les prototypes de la plupart de ces narrations sont de souche indo-européenne, les versions contemporaines ont cependant suivi l'évolution culturelle de l'Amérique. Ainsi la chasse-galerie européenne du XVIIᵉ siècle — une formation de chasseurs en fête se déplaçant dans le firmament — devint, dans le Québec du XIXᵉ siècle, une équipe de bûcherons volant dans un canot d'écorce pour se rendre auprès de leur «blonde», pour finalement prendre, au XXᵉ siècle, des couleurs très locales et s'adapter aux moyens de transport contemporains: autobus, train ou avion. Pourtant, même si ces récits séculaires transforment quelque peu leur apparence extérieure pour s'adapter au temps présent, la structure et le message véhiculé demeurent les mêmes. Le comportement des lutins n'a pas changé: ils continuent à agacer les humains et à s'acharner contre les chevaux; les feux-follets, âmes en peine, se promènent toujours sur les routes des villages; les loups-garous, humains métamorphosés en animal pour s'être éloignés de leurs pratiques religieuses, veulent toujours être délivrés; les sorciers et jeteurs de sorts continuent de s'en prendre aux humains et aux animaux et les fantômes hantent toujours les lieux tandis que les revenants, des parents et amis décédés, tentent encore de réclamer de l'aide ou de donner des conseils. Quant à Satan, son rôle aussi demeure le même: fréquenter ceux qui vivent en marge de la religion ou de la société.

Les précurseurs de ces personnages nocturnes, davantage actifs à l'époque de nos grands-parents qu'à la nôtre, auraient été des esprits responsables de la création du monde, de la découverte des choses et des êtres. La forme et le contenu de ce type de légendes sont en effet très proches de la mythologie, cette science qui, pour exprimer une théorie, a recours aux forces de la nature. La connaissance des faits et gestes de ces esprits pré-historiques, religieux ou diaboliques, fournit une explication à la formation de la terre et des eaux, des astres, des animaux et de la végétation. Il faut ajouter que l'on peut aussi déceler dans les versions de tradition française la présence d'épisodes empruntés aux Amérindiens.

Dans ce même cycle narratif se situent également les échecs de Satan qui, voulant imiter le Créateur, façonna des réalités qui perturberont la vie des humains.

À ces deux groupes de légendes vient s'en ajouter un troisième. Des faits prétendument «historiques» découlant de notre genre de vie en Amérique en constituent cette fois la narration. On fait alors état de nos guerres, nos fléaux, nos succès, nos entreprises, nos problèmes de co-habitation ethnique, etc. Dans ce corpus typiquement américain s'insèrent néanmoins des éléments fabuleux ou fantastiques empruntés aux contes populaires. On a alors affaire à des récits dont la seule fonction est de divertir et qui ne comportent donc aucun caractère véridique.

On peut très souvent discerner dans chacune de ces trois catégories de légendes, une adaptation nationale, régionale, ou même locale; les faits rapportés sont historiquement et géographiquement situés, aussi re-trouve-t-on des particularités économiques et sociologiques de l'endroit. Des éléments de croyances, religieuses ou superstitieuses, viennent aussi souvent s'y ajouter, et à travers les gestes, qu'ils soient posés par les femmes, les hommes ou les curés, se fait jour un certain culte des héros mettant en lumière l'existence d'une force physique et spirituelle absente chez les «autres».

L'imaginaire populaire ne meurt pas en 1985; il reprend le prototype ancien, l'adaptant ou bien encore créant sur canevas ancien. Mais alors les récits se situent toujours en dehors de la famille et dans des lieux qui ne sont pas les nôtres.

Ces légendes transmises de génération en génération font partie de notre héritage culturel, familial ou national, tout comme nos biens culturels matériels et s'il nous plaît toujours de les remémorer, c'est qu'elles mettent en cause des personnes de notre entourage ou bien qu'elles nous rapprochent de moments vécus par ou avec des êtres qui nous étaient chers.

Les légendes, empreintes de naïveté, se prêtent bien à une interprétation picturale d'expression populaire, et il est à espérer que les tableaux accompagnant ces textes révéleront d'autres aspects associés à ces récits anciens.

Que tous ceux qui ont apporté leur aide dans la réalisation de cette exposition muséographique trouvent ici l'expression des remerciements de l'auteur qui souhaite que l'on prenne plaisir à suivre cet itinéraire légendaire de l'Amérique du Nord à travers les milieux francophones, de l'Atlantique au Pacifique, et du Nord au Sud.

1. Le bâtiment du mauvais temps
huile sur toile; 28 × 35,5 cm; 1985

Un vaisseau fantôme erre au large du cap Saint-Georges.

Certains pêcheurs du cap Saint-Georges ont vu passer des «bâtiments du mauvais temps» et, après chacune des apparitions, il se produisit un désastre: la déclaration de la guerre de 1914-1918, celle de 1939-1945, une épidémie, une crise économique, un naufrage, etc. On les apercevait surtout au temps des bateaux à voiles.

Ces bateaux fantômes surgissaient au large du cap, surtout vers la fin du jour, par temps de brouillard. Il s'agissait souvent d'un grand voilier illuminé, filant toutes voiles dehors et monté par des squelettes affairés à travailler dans les cordages, mais il arrivait aussi que ces bâtiments se promènent dans les nuées et que l'on entende les lamentations des fantômes.

Ils disparaissaient généralement dans le brouillard lorsque les pêcheurs s'en approchaient; mais l'un d'eux prétend pourtant qu'il a pu monter à bord d'un tel bâtiment tandis qu'un autre raconte plutôt avoir rencontré des canots chargés de morts. Il arriva même, dit-on, que par une nuit de mauvais temps un capitaine à la barre dut se battre avec un fantôme qui voulait diriger son bâtiment sur les récifs. C'était surtout au moment où la nuit est très noire, vers trois heures du matin, qu'il était difficile de résister à un fantôme qui envahissait un bâtiment.

2.   La chasse-galerie
huile sur toile; 30,4 × 40,5 cm; 1984

Des voyageurs se promènent dans les airs au-dessus de la mer.

Des pêcheurs de l'Île-du-Prince-Édouard et du Nouveau-Brunswick qui s'attardaient le samedi soir dans le détroit de Northumberland, ont aperçu dans les airs des hommes se déplaçant sur un tronc d'arbre. C'était un sorcier de l'Île-du-Prince-Édouard qui faisait le trajet aller et retour entre Mont-Carmel à l'île et Barachois au Nouveau-Brunswick. Après souper, lorsque les fêtards étaient prêts à partir, ils se rassemblaient sur le bord du quai et celui qui avait sur lui le Petit Albert commençait à parler et à gesticuler. Placés alors l'un derrière l'autre, au commandement du sorcier ils levaient tous ensemble la jambe gauche et houp! Les voilà à califourchon sur un billot qui montait tout droit dans les airs.

Quand ils passaient au-dessus des têtes des pêcheurs en mer, un sifflement se faisait entendre et les voyageurs se déplaçaient au centre d'une éclaircie dans les nuages. Lorsque le retour s'effectuait, vers minuit, l'apparition était plus terrible: dans la noirceur, on distinguait une traînée de soufre et d'étincelles derrière le billot enfourché par les hommes.

On raconte qu'un automne le défunt Alexis Cormier, alors qu'une chasse-galerie en billot traversait un vol d'outardes, fit «toute une cueillette de gibier; je ne sais pas ce qui est arrivé aux voyageurs, mais les outardes sont tombées comme des mouches dans la barque d'Alexis».

3.   La cloche qui pleure
huile sur toile; 30,4 × 40,5 cm; 1984

À Louisbourg, une cloche submergée se lamente toujours.

Quelques années après la Déportation des Acadiens, alors que deux «hommes en fête» étaient montés dans une voiture tirée par des boeufs et qu'ils passaient devant les ruines de Louisbourg, en Nouvelle-Écosse, l'idée leur vint de voler la lourde cloche de la chapelle pour la faire fondre. Après maints efforts, ils réussirent finalement à charger cet objet bénit qui datait de 1751 et que les Acadiens avaient baptisé du nom de Noël-Emmanuel. À quelques reprises, sur la route cahoteuse, la cloche virevolta et faillit bien les écraser, mais ils estimaient que la prise valait bien les risques encourus.

Quand ils arrivèrent au pont franchissant la rivière, comme la cloche bougeait et menaçait encore de les blesser, ils se mirent à tempêter et à blasphémer. Une fois la voiture engagée sur le pont, les chevalets de soutien s'écroulèrent soudain, entraînant l'équipage dans les eaux. Le lendemain matin, les villageois aperçurent les boeufs qui erraient sur la route après avoir cassé leur attelage. Les deux malveillants, eux, s'étaient noyés. Quant à la cloche, elle repose toujours dans le lit de la rivière et chaque année elle s'enfonce un peu plus dans le fond de glaise.

Depuis lors, dans la nuit de Noël, on entend s'élever de la rivière des pleurs de la cloche, comme pour faire un reproche aux voleurs.

4. L'arbre de vie
huile sur toile; 35,5 × 45,7 cm; 1985

Des Acadiens trouvent un arbre merveilleux en 1755.

Dans le temps du Grand Dérangement, quinze Acadiens avaient été emprisonnés dans une »cave à patates« creusée dans le sol à Beauséjour. Pierre à Pierre à Pierrot qui faisait partie du groupe et en était le chef de file, s'efforça de maintenir le moral de ses amis qui dépérissaient de jour en jour. Ainsi isolés en pleine noirceur, ils s'acharnaient à creuser dans la terre, à mains nues, pour s'échapper de ce caveau. Lorsqu'ils y parvinrent, ils en avaient perdu les ongles à la tâche.

Déjà épuisés au départ, ils entreprirent alors une longue marche en forêt qui allait les conduire à Memramcook. Mais Pierre à Pierre à Pierrot n'arrivait plus à leur redonner de l'énergie.

Ils venaient de mettre en terre le plus âgé du groupe quand, levant la tête vers le ciel, ils aperçurent un gros arbre chargé de beaux fruits qu'aucun d'entre eux n'avait encore jamais vus. Après s'en être régalés, ils atteignirent une habitation épargnée par l'ennemi où ils furent hébergés le temps de refaire leur force avant de se remettre en route pour rejoindre leur famille.

Par la suite, à plusieurs reprises ces Acadiens et leurs descendants battirent la forêt, de Beauséjour à Memramcook, mais jamais ils ne repérèrent l'arbre aux fruits inconnus.

5. La danse du soleil
huile sur toile; 30,4 × 40,5 cm; 1985

Le matin de Pâques, le soleil danse lorsqu'il se lève.

QUÉBEC

Le matin de Pâques, à Rivière-du-Loup, si les enfants s'étaient couchés tôt la veille, leurs parents les réveillaient pour aller sur la grève voir danser le soleil au-dessus du fleuve.

«On était toute la famille cette année-là; on avait apporté toutes sortes de vaisseaux pour ramener de l'eau de Pâques qu'on tirait à contre-courant d'un ruisseau, avant que le soleil se lève. Parce que cette eau-là, c'est aussi bon que de l'eau bénite; on peut en boire contre la maladie et en jeter dans les fenêtres lorsqu'il tonne. On emportait aussi de l'eau pour les vieux qui ne pouvaient pas marcher aussi loin, surtout qu'il y avait parfois de la neige à cette époque de l'année. Toujours que je m'en souviens encore comme si c'était hier, mon défunt père disait: «Regardez, regardez, les petites filles, le soleil va danser d'un moment à l'autre.» Tout d'un coup, le ciel s'est chargé de couleur, puis le soleil est sorti des nuages. Tiens, on aurait dit que les nuages s'arrêtaient. Puis les animaux — ça sent toujours ça avant le monde —, bien, notre chien s'est mis à trembler, puis à hurler. «Hey! Hey! les petites filles, il danse, là, le voyez-vous? criait mon père. Si vous ne le voyez pas, je ne vous ramènerai plus.» En tous les cas, moi je l'avais bien vu danser, puis ça m'a toujours marquée cette affaire-là.»

6. Le pont de La Malbaie
huile sur toile; 30,4 × 40,5 cm; 1984

Le diable construit un pont et se réserve le premier être qui y passera.

Les gens de La Malbaie s'étaient groupés pour paver la route en bordure du fleuve et construire le pont sur la rivière Malbaie.

L'hiver arrivant et ne réussissant pas à monter les chevalets et les travées du pont, le charpentier engagea des hommes pour se faire aider. Mais la mésentente se mettant de la partie, les travailleurs quittèrent les lieux.

Reconnu pour son mauvais caractère, le charpentier maudissait son entreprise quand il vit arriver un étranger qui s'offrit à construire le pont. Il ne demandait pas de salaire; mais en retour, il exigeait que l'âme du premier être à traverser le pont lui appartienne.

L'inconnu revint alors avec ses travailleurs qui se mirent à l'ouvrage et quinze jours après, les habitants apprenaient que le pont était terminé.

Voici alors ce qui arriva. L'épouse du menuisier remarquant que son mari devenait de plus en plus songeur à mesure que la construction avançait, décida d'agir seule. Lorsque le jour de l'ouverture du pont fut venu, l'étranger arriva et s'assit à un bout du pont avec son chat noir, attendant que le premier être passe. L'épouse, cachée à l'autre bout avec son chien, n'eut aucune peine à le faire bondir en avant lorsqu'il aperçut le chat. Le diable, réalisant qu'il ne récolterait que l'âme d'un chien, se précipita à l'eau et il disparut. Depuis, on a l'habitude de dire que la femme est plus rusée que le diable.

7.   La Passe-aux-Taureaux
huile sur toile; 35,5 × 45,7 cm; 1985

La Vierge des marins envoie trois bœufs remorquer un navire.

Les gens de mer qui fréquentent le Saint-Laurent se méfient toujours du «remous de Sainte-Pétronille», un contre-courant le long des rives à la pointe ouest de l'île d'Orléans. On a vu plus d'un équipage se perdre corps et biens s'y étant aventurés par mégarde. Le bâtiment qui s'y laisse entraîner commence en effet à tournoyer lentement pour finalement se sentir attiré dans le fond du fleuve.

Une nuit que le capitaine Joseph-Bellarmin Noël, maître calfatier et caboteur de l'île, revenait d'un long voyage et que la fatigue le rendait distrait, son bâtiment fut entraîné par le contre-courant et se mit à tournoyer comme une toupie. Seul sur le pont et impuissant, le capitaine implora alors la Vierge des marins, la priant ardemment de l'aider à sortir de ce remous qui allait disloquer sa goélette. Comme l'aide se faisait attendre, il commençait à désespérer quand surgirent devant le navire trois grands boeufs aux cornes d'or. Il lança aussitôt des amarres qui allèrent s'accrocher aux longues cornes qui brillaient dans la nuit. Les taureaux, nageant avec force, remorquèrent alors la goélette jusqu'au quai de Saint-Jean.

Et depuis ce temps-là, les remous de Sainte-Pétronille ont pris le nom de la «Passe-aux-Taureaux». Quant aux descendants du capitaine, ils vouent toujours une dévotion particulière à la Vierge des marins.

8. Le trésor des Poulin
huile sur toile; 22,8 × 30,4 cm; 1985

Le diable change de place le trésor des Poulin.

À la fin du XIXe siècle, les demoiselles Poulin des Trois-Rivières avaient hérité du plus beau «circuit en bois debout» qui existait entre Québec et Montréal. Les Forges du Saint-Maurice nécessitant cependant beaucoup de charbon de bois pour faire fondre le fer, tous les chênes de la région avaient été coupés afin d'alimenter le grand fourneau. Sans avertissement, les Bell des Forges se mirent donc à faire abattre les beaux grands arbres des demoiselles Poulin, prétextant qu'ils étaient propriétaires de ces terres à bois.

Commença alors l'un des plus longs procès qui se soit déroulé au Québec. Si bien qu'en plus d'avoir perdu leurs arbres, les demoiselles se ruinèrent à payer les avocats qui les défendaient.

Cependant, dit-on, lorsque la dernière en vie des Poulin sentit arriver sa fin et qu'elle réalisa que la justice allait faire saisir un trésor familial conservé depuis toujours dans un grand coffre et transmis d'un descendant à l'autre, elle le fit charger sur une barque qui les conduirait, elle et son coffre, au milieu du ruisseau de la Pinière. «Tiens, dit-elle en jetant le coffre au fond de l'eau, je le donne au diable».

Depuis ce jour, plus d'un chercheur de trésor a tenté de le récupérer. Mais le diable en a la garde, et que quelqu'un soit près de le découvrir, il en change lui-même la place.

9.   La naissance des ours
huile sur toile; 28 × 35,5 cm; 1984

Deux petits enfants transformés en petits ours.

C'est d'un four à pain de l'île Dupas près de Sorel, que naquirent les ours:

«Une fois, il y avait un homme et une femme qui avaient deux petits enfants, une fille et un garçon, qui étaient «malcommodes»; à tous moments ils se rendaient coupables de tours pendables. Il ne se passait jamais une journée sans que les brebis aillent manger les radis du jardin, que le sucre soit mélangé au sel, qu'une voiture perde une de ses roues, ou que les animaux changent de place dans l'étable. Les coupables s'en amusaient follement. Pour les punir, un jour qu'ils grimpaient aux arbres et se chicanaient, leur mère, après avoir terminé sa cuite de pain, les enferma dans le four à pain érigé dans le fond de la cour, leur disant qu'ils étaient aussi déplaisants que des petits ours.

«La femme s'en alla ensuite démêler ses pois pour faire la soupe, puis, au baissant de la marée, elle se rendit sur la rive aider son mari à vider les coffres de pêche à l'anguille. Après souper, comme il restait de la soupe, elle dit à son mari: «Mon Dieu, si nos petits enfants étaient ici, ils mangeraient bien cette soupe-là.». Elle se rappela alors qu'ils étaient toujours enfermés dans le four et courut vivement en ouvrir la porte. Mais, qui est-ce qui en sortit? un couple de petits ours, une femelle blanche et un mâle noir, qui se mirent à grogner et qui s'enfuirent à toutes jambes vers la forêt.

Et depuis ce jour-là, les ours se sont répandus sur la terre.»

10. La tornade du curé
huile sur toile; 30,4 × 40,5 cm; 1984

Un curé fait prier pour qu'il pleuve et il survient une tornade.

QUÉBEC

Durant l'automne 1864, le curé Lacourcière faisait prier ses paroissiens pour obtenir de la pluie; les fontaines étaient en effet à sec et les animaux «avaient de la misère» à trouver assez d'eau dans les ruisseaux pour apaiser leur soif. Une telle sécheresse avait déjà été vaincue par des prières dans un village voisin, ce qui donnait du courage au curé.

Un soir, vers sept heures, les nuages se mirent à se bousculer; aussitôt, les volailles coururent se percher et les chats entrèrent dans les étables. Le petit village de Saint-Médard «sentait la tempête». Soudain, sous la force de la pluie poussée par le vent, les clôtures de pieux commencèrent à se coucher par terre et les «ondains» de blé à s'envoler dans les airs : un ouragan s'abattait sur le village. Les maisons se mirent à se tordre sur leur solage pour ensuite se disloquer; même le presbytère ne put résister: la couverture se sépara du carré de la maison et le cyclone tira le gros curé Lacourcière par l'ouverture. Il commença par faire quelques pirouettes dans les airs, pour s'envoler ensuite par-dessus l'église, heurter bientôt le clocher qu'il sectionna en deux et se retrouver finalement étendu dans le cimetière à côté de la cloche et du coq de clocher. La pluie qui tomba à seaux toute la nuit lui fit suffisamment reprendre ses sens pour que ses paroissiens qui le trouvèrent au petit matin l'entendent prononcer: «Merci, mon Dieu, mais je ne t'en demandais pas tant.»

11. Les feux-follets des danseurs
huile sur toile; 30,4 × 40,5 cm; 1985

Des feux-follets pourchassent des danseurs le soir de la Toussaint.

ONTARIO

Les Français de Chelmsford aimaient tellement la danse qu'ils avaient bien du mal à s'en abstenir pendant le temps du carême. Outre cette période de restriction, la danse était également interdite certains jours: celui de la Toussaint par exemple, car ce jour-là l'esprit des défunts rôde sur les routes, prêt à se manifester sous des formes diverses.

Vers 1925, deux jeunes époux n'avaient guère eu l'occasion de danser depuis leur mariage, juste avant les récoltes. Un jour cependant, comme le meilleur violoneux du canton était de passage au village, ils ne purent résister. Mais gare! Il fallait surveiller l'heure, car on était la veille de la Toussaint et les feux-follets sont les ennemis des danseurs en temps défendu.

La soirée se passa comme par enchantement; ils se lancèrent dans des quadrilles et des cotillons endiablés, puis chacun d'eux s'exécuta même dans une gigue simple.

Soudain le sifflement du train qui passait à minuit retentit. Ils quittèrent aussitôt les lieux et se mirent à courir vers leur demeure. Ils traversaient un champ quand ils entendirent derrière eux un crépitement de feux de buissons. Ils accélérèrent encore leur course mais à mesure qu'ils avançaient, des touffes d'herbe sèches s'enflammaient et les pourchassaient. Les feux-follets gagnaient sans cesse du terrain et ils eurent tout juste le temps de leur échapper: au moment de franchir la porte de leur demeure, ils leur brûlaient les talons. D'ailleurs, le seuil de la porte conserve encore des traces de carbonisation.

12.   La recherche des noyés
huile sur toile; 30,4 × 40,5 cm; 1985

Une miche de pain bénit trouve le corps des noyés.

«Une rivière, c'est traître quand elle est grosse, au printemps. À Sturgeon Falls, une «jeunesse» s'était noyée et la rivière ne voulait pas rendre son corps. Les gens de la place cherchaient depuis sept jours, quand mon père dit à trois hommes: «Venez avec moi nous allons le retrouver.» Ils ont pris une miche de pain bénit, l'ont placée dans leur canot après l'avoir garnie de chandelles et puis ils l'ont lâchée dans le remous. Le pain a commencé à tourner, à tourner, à la grandeur du remous; puis tranquillement, les langues de feu vacillèrent et il s'est en allé à rebours du courant, au pied de la chûte. Là, la miche s'est mise à tourner en rond, comme si elle cherchait, puis elle s'est immobilisée. J'ai dit aux hommes: «Cherchez là, vous allez le repêcher.» Ils n'étaient pas trop confiants, mais cela n'a pas été long, ils ont accroché le corps du noyé avec une gaffe et ils l'ont remonté.

«Cette histoire-là, c'est une pure vérité; le pain bénit peut se promener d'un bord à l'autre de la rivière et il ne ment pas. Mes aïeux, c'étaient des pêcheurs de haute mer, et après des avaries, s'ils avaient des noyés à retrouver et qu'ils n'avaient pas de pain bénit, ils mettaient des chandelles sur une miche de pain de marin. J'ai connu des gens qui plantaient plutôt des épingles sur le pain, ou qui utilisaient des pieux de cèdre qui allaient se dresser debout vis-à-vis du corps noyé. Mais il n'y avait rien de meilleur pour retrouver un noyé que du «pain d'habitant» béni par le curé tout juste avant de s'en servir; des gens de Détroit, Essex, l'ont expérimenté en 1940.»

13. Le petit cochon rose
huile sur toile; 22,8 × 30,4 cm; 1985

Le voisin loup-garou prend la forme d'un petit cochon rose.

«Ma grand-mère aimait tellement les animaux qu'elle leur parlait comme si c'était du monde, et lorsqu'elle sortait pour aller à la basse-cour, elle était toujours escortée par quelques-uns d'entre eux.»

«Un soir, alors qu'avec mon grand-père elle revenait en calèche de l'office des quarante-heures suivi à l'église de Gogama, elle aperçut un beau petit cochon rose sur la levée du chemin. «Arrête, dit-elle, il ne faut pas le laisser ici, tu vois bien qu'il est perdu.»

«Mon grand-père lui mit l'animal sur les genoux, puis ils repartirent. Mais voilà que le petit cochon se mit à grossir, tellement qu'il prenait toute la place dans la calèche et que grand-père dut s'asseoir sur le dos du cheval. C'était loin d'être rassurant, aussi: «Arrête, dit-elle, puis débarque-moi ce drôle de cochon-là, il commence à «m'étriver».» — «Non, répondit aussitôt le cochon, ramène-moi où tu m'as pris.»

«Comme le cochon était devenu imposant et qu'il ne semblait pas vouloir rigoler, ils retournèrent donc sur leurs pas; mais à mesure qu'ils avançaient, le cochon rapetissait. Il rapetissa tellement qu'il pouvait presque passer à travers les «ambines» de la calèche. Ma grand-mère retira de son chignon la grande épingle dont elle se servait toujours pour le retenir et en donna un bon coup au cochon. Aussitôt le cochon se transforma en un homme assis, tout nu et tout gêné, dans le fond de la calèche: c'était leur meilleur voisin de terre.»

14. La prairie du Cheval blanc
huile sur toile; 35,5 × 45,7 cm; 1984

Un cheval blanc monté par une mariée court dans les Plaines.

MANITOBA

L'été, certains soirs de pleine lune, les vieux Français voient passer à la fine épouvante dans la prairie du Cheval blanc près de Saint-François-Xavier, un beau grand cheval blanc monté par une jeune femme tout habillée en mariée. Elle rôde toujours dans les plaines, dit-on, à la recherche de son fiancé, un jeune Indien capturé par ses ennemis le matin des noces.

C'est que le jour des noces, alors que les futurs arrivaient à l'église avec leur famille, un ancien prétendant jaloux, aidé d'une bande de chasseurs, vint se venger. Ils attaquèrent les deux époux qui, sautant sur leur cheval, s'échappèrent au galop. La jeune femme montait le plus rapide coursier des Prairies, un grand cheval blanc reçu en cadeau de noces de son futur; mais elle dut ralentir sa course pour attendre son fiancé qui, lui, ne possédait qu'un vieux cheval gris.

Comme ils allaient être rattrapés, le beau grand cheval blanc issu d'une race mexicaine s'enleva dans une course effrénée, emportant sa cavalière bien loin de ses ennemis. Le fiancé rendit l'âme à quelque distance de l'église, tandis que sa compagne, elle, disparut dans un nuage de poussière pour ne plus jamais être revue.

L'âme de la jeune fille serait entrée dans le bel animal qu'on n'a jamais réussi à capturer, et depuis des décennies, on nomme toujours ces lieux «La prairie du Cheval blanc».

15.   La fiancée morte d'ennui
huile sur toile; 30,4 × 40,5 cm; 1985

Une femme meurt de désespoir en attendant son fiancé.

SASKATCHEWAN

Quand ils s'étaient quittés au printemps, Simon lui avait pourtant bien promis qu'il reviendrait au milieu de l'été pour l'épouser. Mais comme la chasse était fructueuse et que le prix des fourrures avait monté, il séjourna jusqu'en octobre dans ses territoires de chasse. Ayant alors accumulé suffisamment d'argent, il décida de rentrer; il prépara donc son canot et s'embarqua pour un voyage de retour de trois jours qui le ramènerait auprès de sa fiancée. Le deuxième soir, alors qu'il allait installer son campement, il entendit des voix: «Simon! Simon!» disait l'écho. «Qui appelle? Qui appelle?» répondit-il à plusieurs reprises. Mais il n'obtint pas de réponse et les voix s'éteignirent lentement.

Le matin suivant, aux premières lueurs du jour, il remit son canot à l'eau et rama avec ardeur. Sur l'heure du midi, il entendit de nouveau ces mêmes appels, mais plus pressants encore que la veille, appels qui bientôt moururent.

Le soir, il distingua enfin la maison de sa fiancée, mais, surprise! devant, un feu brûlait lentement, comme on le faisait jadis pour annoncer la mort de quelqu'un. Rendu plus près, il aperçut sa fiancée qui reposait, morte, sur une grande pierre plate devant le feu.

«La veille, lui dit le père de la jeune fille, n'en pouvant plus d'attendre, elle était morte en appelant «Simon!» Et c'est depuis ce jour-là que le lac des échos a pris le nom de «Lac Qu'Appelle».

16.   Le curé étouffe le feu
huile sur toile; 30,4 × 40,5 cm; 1984

Le curé éteint le feu qui détruit son village.

«C'est fort un curé quand ça veut», j'en ai connu qui chassaient les sauterelles, les chenilles, les oiseaux, les rats, et toutes sortes de choses de même qui détruisaient nos récoltes de blé. D'autres pouvaient changer la nature: faire monter la rivière au moment de la drave, arrêter le doux temps pour conserver la viande, chasser les maringuoins ou assécher les «rouillères» sur la route de l'église au moment d'aller aux offices religieux, dégeler la terre du cimetière en hiver pour creuser une fosse ou faire parler un mort parti sans «laisser de papiers». J'en ai vu des «malins» aussi, quand ils se choquaient, c'était pas beau; ils pouvaient aussi bien faire venir le diable que le chasser.

À Spirit River, en 1942, le Père Vallières avait appuyé la main contre une chapelle qu'on déménageait de site, et aussitôt le lourd traîneau sur lequel reposait la construction s'arracha de la boue qui l'immobilisait.

Les tempêtes de sable, des grands vents qui faisaient pénétrer de la poussière jusque dans les chaudrons dans l'armoire tellement le vent avait de la force, ou bien les grands feux de prairies qui rasaient tout sur leur passage, c'étaient deux épreuves bien affligeantes en Alberta. Heureusement, lorsqu'il n'y avait plus d'espoir, il nous restait les curés qui pouvaient étouffer ces fléaux-là.

«Des prêtres de même, quand on les perdait, ça «dégreyait» une paroisse».

17.   Les marins métamorphosés
huile sur toile; 30,4 × 40,5 cm; 1985

Un talisman a le pouvoir de paralyser les humains.

COLOMBIE-BRITANNIQUE

Sur la Côte du Pacifique un chef indien sur le point de mourir eut vent des victoires de Napoléon Bonaparte; elles y avaient en effet été rapportées par des marins européens lors d'une escale. Or sans aucune descendance, il se demandait justement à qui transmettre le précieux talisman dont s'étaient toujours servi ses aïeux pour triompher de leurs ennemis. Il demanda donc qu'après sa mort on fasse passer ce petit os de serpent de l'autre côté de la mer, pour que le grand guerrier Bonaparte puisse toujours gagner ses guerres.

Le moyen de réaliser ce voeu allait s'offrir le lendemain: un navire russe arriva en effet dans le port, ayant deux prisonniers français à son bord. Comme ces derniers furent laissés dans le port sans la moindre surveillance, le talisman leur fut discrètement remis.

Lorsqu'ils remontèrent sur le bâtiment, tenant bien en main l'os merveilleux qu'ils devaient transmettre à Napoléon une fois en France, un spectacle surprenant se déroula sous les yeux des riverains: les marins russes tombèrent par terre l'un après l'autre se tordant de douleur. Et c'est ainsi que le bateau s'éloigna de la rive, un Français à la barre.

Depuis ce temps-là, entre le fleuve Fraser et la rivière Thompson, deux lieux rappellent cet événement: la rivière Bonaparte qui se jette dans un lac appelé lui aussi Bonaparte.

18. Le marié loup-garou
huile sur toile; 30,4 × 40,5 cm; 1985

Un homme court le loup-garou le soir de ses noces.

Au nord du Grand Lac des Esclaves, une jeune fille qui vivait toujours avec ses deux frères espérait bien un jour prendre époux. Or il arriva chez eux un fort bel homme qu'ils reçurent avec hospitalité. Après quelque temps, il proposa à la jeune fille de l'épouser et le mariage eut lieu deux semaines plus tard.

Pendant la première nuit de noces, alors qu'il faisait clair de lune, la jeune épouse fut éveillée par les bruits d'un chien qui grugeait des os et hurlait à la lune. Pour se rassurer, elle voulut éveiller son mari. Mais, surprise! il n'était plus dans le lit à ses côtés. Elle pensa alors qu'il était sorti en forêt faire une tournée aux collets à lièvres et elle allait se rendormir quand elle entendit meugler les animaux dans l'étable aux prises avec un chien. Elle sortit aussitôt dehors et, s'emparant d'une fourche, commença à pourchasser un grand chien noir qui marchait debout en faisant des sauts de kangourou. Incapable de le rattraper, elle finit par lui lancer sa fourche dans les pattes. Mais, tout en boîtant, le chien réussit tout de même à s'échapper en prenant par la forêt.

Le matin, lorsqu'elle s'éveilla, son époux était revenu et dormait à ses côtés. Ce ne fut cependant qu'avec difficulté qu'il put se rendre à table pour déjeuner; il s'était blessé à une jambe en voulant «tirer de l'eau du puits» pendant la nuit, disait-il.

19.   Le transporteur du Klondike
huile sur toile; 35,5 × 45,7 cm; 1985

Les exploits d'un «paketeur» à l'époque des chercheurs d'or.

YUKON

Cataline, le Basque aux bras de fer, parlait cinq langues et «jurait en Canadien». Lorsqu'on le complimentait sur sa belle chevelure noire, il disait: «C'est le rhum.» Toujours vêtu d'une chemise blanche à plastron, il portait aussi foulard écarlate et chapeau de toréador qu'il n'enlevait, dit-on, que pour se laver les cheveux au rhum, tout en récitant une formule cabalistique.

Il avait un port noble, monté sur le plus beau cheval du Yukon et à la tête de son «pack-train», une caravane de cinquante mulets qui, lentement et dangereusement, acheminaient vers le Klondike les marchandises les plus variées. On a vu dans ces randonnées ses mulets chargés de sacs de denrées, de coffres remplis de vêtements et d'outils de mineurs. Même les danseuses arrivaient au Yukon sur le dos de ses mulets. Mais son plus grand exploit fut sans doute d'avoir un jour transporté un piano au pays des chercheurs d'or.

On raconte encore qu'ayant amené dans un même voyage un pasteur protestant et un prêtre catholique, il dut, tout au long du trajet, maintenir la paix entre chercheurs d'or aux croyances adverses.

Cataline avait aussi apporté des Etats-Unis un instrument dont il ne se séparait jamais: un «gramophone à cornet». Alors le soir, au campement, qu'il pleuve, qu'il neige ou qu'il vente, muletiers et voyageurs s'endormaient sur des airs américains.

20.   Les quatre «hurlots» canadiens
huile sur toile; 30,4 × 40,5 cm; 1985

Quatre géants du Canada coupent du bois dans le Midwest.

MICHIGAN

Quatre hommes s'étaient engagés pour travailler dans un chantier forestier dans le haut du Michigan, sans donner leur nom. «On est les quatre hurlots canadiens», avaient-ils simplement dit. C'est seulement au moment d'être payés qu'ils ont montré une lettre de leur curé qui disait: «Je t'envoie quatre «jeunesses» qu'il faut «prendre par la douceur»: Duhaime, Pomerleau, Lessard et Michelin.»

Personne n'osait les approcher; mais il faut dire que quand ils travaillaient, la terre tremblait. La nuit, ils «dormaient dur comme des bûches»: trois couchés côte à côte et le plus petit couché sur le faîte des autres. Ils n'avaient pas non plus besoin de hache pour abattre les arbres, il leur suffisait de s'accoter, le long des troncs, et les arbres cassaient net, comme au trait de scie.

Le plus jeune des quatre jetait les billes de bois à l'eau avec une gaffe faite d'un timon ferré d'un coutre de charrue, et quand il se formait un embâcle sur la rivière, il le défaisait à coups de pieds.

Ce ne fut pas long avant que les chevaux s'épuisent, mais ils n'en demandèrent pas d'autres: les «hurlots» faisaient tout le travail eux-mêmes. Ainsi, ils s'attelaient aux bottes de billots ou aux grosses traînes chargées de billes de bois pour les amener au lieu de déchargement. Ils sont repartis tard dans l'automne, parce que le contremaître leur avait demandé de travailler le dimanche.

21. Les lieux hantés
huile sur toile; 30,4 × 35,5 cm; 1984

Les Canadiens aux prises avec des fantômes américains.

«Quand les Canadiens «montaient» travailler aux Etats-Unis, ils partaient en voiture à cheval et, dans les grands bois du Maine, ils couchaient à la belle étoile. C'est ainsi que le défunt Louis et sa femme avaient passé une nuit blanche à entretenir un feu pour éloigner une bande de chats flambant noirs qui voulaient les attaquer. A mesure que le feu baissait, les chats s'approchaient. Pour s'en débarrasser, ils avaient dû brûler deux beaux gros coffres de pin «pleins jusqu'à la gueule de bons butins».

«Une fois rendus aux habitations, ils en profitaient pour coucher à l'abri; mais c'était pas plus drôle, je t'assure. Les «jeunesses» chez mon oncle Joseph, en pleine nuit, avaient dû se sauver par les châssis d'un hôtel: les cris d'un homme que l'on tuait pour le dévaliser les avaient éveillés.»

«Quand mon père travaillait à Boston, il était un jour allé voir sa soeur dans le Connecticut. Arrivé là, il descendit un soir dans un hôtel. Il menait son cheval à l'écurie pour le dételer quand, en passant devant une porte, celui-ci se cabra, refusant d'avancer. Mon défunt père qui était un homme hardi, revint dans l'écurie, la nuit, avec un fanal. Il a ouvert cette «maudite» porte-là, et qu'est-ce qu'il a vu?... Une rangée de têtes d'hommes, tous des barbus, accrochées à des clous. Il est retourné se coucher, mais il n'a pas fermé l'oeil de la nuit.»

22.   L'arche de Noé
huile sur toile; 30,4 × 40,5 cm; 1985

Pourquoi les oiseaux émigrent au printemps.

NEW HAMPSHIRE ET RHODE ISLAND

Noé avait mis cent ans et un jour pour bâtir un bâtiment capable de résister au déluge vu en songe. Il commença par faire une cage de bois carrée puis dessus il construisit une maison. Les couples de tous les animaux qu'il avait rassemblés venaient tout juste d'embarquer, ainsi d'ailleurs que ses enfants, lorsque la pluie commença à tomber. Après quarante jours et quarante nuits, le temps s'éclaircit et Noé envoya une corneille en éclaireur pour savoir s'il y avait de la verdure dans les environs. Mais l'oiseau se gava de la chair des animaux morts qui flottaient sur les eaux et négligea de revenir. Il demanda alors à un pigeon d'aller à son tour faire la même randonnée. Le premier soir, celui-ci revint avec de la terre dans le bec, et le deuxième, il rapporta une grappe de pimbina. Noé, pour remercier le pigeon, le transforma en colombe; quant à la corneille, voulant la punir, il lui donna une voix rauque et un plumage noir.

Ayant alors rejoint la terre, toute la famille de Noé s'installa sur une «belle terre planche». Par la suite, comme les habitants détestaient les corneilles et les chassaient loin des maisons, celles-ci décidèrent de voler vers le Canada. Mais quand les bordées de neige commencèrent à tomber, elles durent, pour survivre, revenir vers les Etats-Unis pour y passer l'hiver.

Depuis ce temps, lorsque l'on voit les corneilles prendre le bord des Etats, on sait que l'hiver est proche.

23.   Le diable en autobus
huile sur toile; 30,4 × 40,5 cm; 1985

Une chasse-galerie à la moderne transporte les enfants.

Lorsque, dans les chantiers forestiers, les hommes s'ennuyaient trop de leur «blonde», ils pouvaient faire un pacte avec le diable; celui-ci les transportait alors auprès d'elles au moyen d'un canot dans les airs. C'est tard dans l'automne surtout que ces canots-là passaient, ainsi d'ailleurs que la veille de Noël; quelquefois on pouvait alors en voir jusqu'à trois qui se suivaient.

Le voyage se faisait, aller et retour, dans une seule nuit. Mais qu'un bûcheron prenne peur et se recommande à Dieu, ou encore que le canot d'écorce accroche la pointe d'un clocher d'église, et tout ce «beau monde» tombait. Aussi arrivait-il alors que les voyageurs se retrouvent étendus à travers les épinettes. C'est ainsi que l'on voyait souvent passer «plus vite que le vent» cette embarcation légère chargée de rameurs qui chantaient en chœur:

Canot d'écorce, qui vole, qui vole,
Canot d'écorce, fais-moi voyager,
Par-dessus les montagnes,
Conduis-moi auprès de ma blonde.

Dans la première moitié du vingtième siècle le mode de transport changea mais les voyages n'en continuèrent pas moins. Ainsi, on a vu le diable traverser le Canada, du Sud au Nord, pilotant un avion chargé de passagers. Il conduisait aussi, paraît-il, un train qui venait d'Halifax en passant par les Etats. Et puis à Lowell, au Massachusetts, le diable ne faisait-il pas monter des enfants dans un autobus sans toiture pour les promener dans le firmament?

24.   La rencontre des géants
huile sur toile; 30,4 × 40,5 cm; 1985

Un géant français se bat contre le héros Paul Bunyan.

VERMONT ET NEW YORK

Jos le Français était «gros comme le diable, menteur comme le diable et se battait comme le diable»; il mesurait «six pieds et trente pouces, avait l'estomac barré, possédait deux rangées de dents, doubles jointures, et une paire de bras qui descendaient jusqu'à dix pouces du sol». Il avait épousé une toute petite «créature» et son petit garçon de quatre ans couchait, paraît-il, dans un de ses souliers.

Un jour, alors qu'il défrichait et labourait sa terre dans le Vermont, un Irlandais qui avait entendu parler de la force de Jos et le cherchait, lui adressa la parole, ne sachant à qui il avait affaire. «Où demeure Jos le Français, demanda-t-il, je veux le battre?» Le laboureur, pointant alors sa charrue d'une seule main dans les airs en direction de sa propre maison, lui dit: «C'est là qu'il reste!» L'Irlandais s'enfuit sur le champ et repartit pour l'Europe le lendemain matin.

Jos le Français usa six paires de «pichous sauvages» à marcher pour trouver le géant américain Paul Bunyan qui demeurait dans l'Etat de New York. La rencontre eut finalement lieu, mais Bunyan ne réussit pas à placer un seul coup de poing: Jos «steppait» et tournait dans les airs comme une plume. Ils devinrent cependant de bons amis puisque par la suite ils travaillèrent ensemble. Ils s'engageaient en effet dans les chantiers forestiers, et c'est Jos qui faisait la soupe aux pois pour eux deux. Il la préparait directement, dit-on, dans un lac qui depuis ce temps demeure à sec.

25.   Les lutins de bayous
huile sur toile; 30,4 × 40,5 cm; 1985

Des petits êtres malveillants agacent les Cajuns.

LOUISIANE

Les lutins aimaient jouer des tours et s'en prenaient souvent aux chevaux. Jos Thibodeau de la Louisiane en sait quelque chose. Il s'était péniblement rendu à la Prairie Mamou pour la fête du Mardi gras, car son cheval «boîtait bas» d'une patte. L'examinant de plus près il découvrit qu'un caillou était coincé entre le fer et le sabot. Depuis quelque temps déjà il se doutait bien que les lutins venaient dans son étable jouer des tours à son cheval: le matin, celui-ci «sentait le lutin» et avait le corps «bandé comme un tambour». De plus, Jos avait déjà trouvé ses bottes pleines de pois et le harnais du cheval tout coupé. Il y avait bien Louis Arsenault, qui connaissait «l'air des lutins»: il le jouait sur l'accordéon pour les faire danser. Mais hélas! il ne pouvait pas compter sur lui, car un soir, Louis ayant allumé sa pipe, ils lui avaient donné des coups de pieds et s'en étaient définitivement fâchés.

Dans l'ancien temps, les lutins vivaient aussi dans les bayous et mangeaient des écrevisses; mais les serpents leur mordaient les orteils et ils finissaient par ne marcher que sur un pied. Un jour, raconte-t-on, des enfants égarés dans les bayous rencontrèrent une famille de lutins qui les ramenèrent à leur mère. Pour les récompenser, celle-ci leur offrit d'entrer manger du gumbo. «Non, répondit la «lutine»; il y a de l'ail là-dedans, donne-moi plutôt les souliers de tes enfants pour mes petits lutins qui ont les orteils toutes mordues.»

Mais on n'en voit plus beaucoup de lutins dans les bayous; ils se tiennent autour des puits de pétrole.

BIBLIOGRAPHIE

Références pour chacune des légendes

1. Archives de Folklore, Université Laval, Québec, doc. ms. 9168, coll. J.-C. Dupont.

   Catherine Jolicoeur, *Le Vaisseau Fantôme*, Québec, PUL, 1970, 337 pages (p. 78).

2. A.F., Université Laval, Québec, doc. ms. 8699, coll. J.-C. Dupont.

   Catherine Jolicoeur, *Les Plus belles légendes acadiennes*, Montréal, Stanké, 1981, 280 pages (pp. 25-26).

3. Catherine Jolicoeur, *Les Plus belles légendes acadiennes*, Montréal, Stanké, 1981, 280 pages (p. 145).

   F. Picard, «La cloche qui pleure», *Le Monde illustré*, vol. XIV, n°s 715 et 716, 15 et 22 janvier 1898, p. 596 et 612.

4. A.F., Université Laval, Québec, doc. non catalogué, Inf. Mme Nazarine Maillet, 98 ans, St-Louis de Kent, N.-B., 10 avril 1954, coll. Antonine Maillet.

   G. Jobes, *Dictionary of Mythology, Folklore and Symbols*, NY, The Scarecrow Press Inc., 1962, Part 2 (pp. 15-95).

5. «Coutumes et légendes de Pâques», *L'Appel*, Sainte-Foy, 16 avril 1984, p. 18.

   «Pâques, ses légendes et ses traditions», *L'Action*, Québec, 17 avril 1965, p. 8.

6. J.-C. Dupont, *Le Légendaire de la Beauce*, Montréal, Leméac, 1978, 197 pages (p. 121).

   C.-E. Rouleau, *Légendes canadiennes*, Montréal, Granger & Frères Limitée, 1930, 134 pages (pp. 7-15).

7. A.F., Université Laval, Québec, doc. ms. 4, coll. Anne-Marie Street.

   C. Noël, *L'Isle d'Orléans, us et coutumes*, Saint-Jean, I.O., 1984, 94 pages ms. (pp. 83-84).

8. A.F., Université Laval, Québec, enreg. D-182, coll. M. Bouchard.

   Napoléon Caron, *Contes et légendes des Vieilles Forges*, Trois-Rivières, Editions du Bien Public, 1954, 132 pages (pp. 115-118).

9. W. Chapman, « Une légende », *Le Sorelois*, vol. XII, n° 30, 18 juillet 1890, p. 1.

A.F., Université Laval, Québec, doc. ms. 8577, coll. J.-C. Dupont.

10. A.F., Université Laval, Québec, doc. ms. 9167, coll. J.-C. Dupont.

Abbé Charles-Edouard Mailhot, *Les Bois-Francs*, Arthabaska, La Cie d'Imprimerie d'Arthabaska, 1914, 471 pages (pp. 419-420).

11. Département de folklore, Université de Sudbury, Sudbury, Ontario, doc. ms. 1, coll. Brzezinski.

DFUS, Sudbury, Ontario, enreg. 14, coll. J. Faubert.

12. DFUS, Sudbury, Ontario, enreg. 30, coll. E. Rondeau.

DFUS, Sudbury, Ontario, doc. ms. 1, coll. G.-A. Lemieux et M.-A. Séguin.

13. DFUS, Sudbury, Ontario, enreg. 54, coll. M. Lauzier.

C. Noël, *L'Isle d'Orléans, us et coutumes*, Saint-Jean, I.O., 1984, 94 pages ms. (pp. 80-81).

14. H. Létourneau, *Henri Létourneau raconte*, Winnipeg, Editions Bois-Brûlés, 1978, 145 pages (p. 13).

Centre d'études franco-canadiennes de l'Ouest, Collège universitaire de Saint-Boniface, Manitoba, doc. ms. 2, coll. Anette Saint-Pierre.

15. Donatien Frémont, *Les Français dans l'Ouest canadien*, Manitoba, Saint-Boniface, Ed. du Blé, 1980, 199 pages (p. 80).

E.-P. Johnson, *Flint and Feather*, Toronto, The Musson Books Company, 1912, 156 pages (pp. 127-130).

16. Héritage Franco-Albertain, Société les blés d'or, St-Paul, Alberta, enreg. DEL 6.47, coll. D. Lafleur.

HFA, Société les blés d'or, St-Paul, Alberta, enreg. DEL 6.34, coll. D. Lafleur.

17. Donatien Frémont, *Les Français dans l'Ouest canadien*, Saint-Boniface, Manitoba, Les Editions du Blé, 1980, 198 pages (p. 146).

E.-P. Johnson, *Legends of Vancouver*, B.C., Toronto, G.S. Forsyth & Co., 1912, 89 pages.

18. Pamphile Lemay, *Contes vrais,* Montréal, Beauchemin, 1907, 551 pages (pp. 321-337).

Émile Petitot, *Autour du Grand Lac des Esclaves*, Paris, Albert Savine Editeur, 1871, 396 pages (pp. 296-314).

19. A.F., Université Laval, Québec, doc. ms. 9165, coll. J.-C. Dupont.

Donatien Frémont, *Les Français dans l'Ouest canadien*, St-Boniface, Manitoba, Les Editions du Blé, 1980, 198 pages (pp. 144-145).

20. Richard M. Dorson, «Canadiens in the Upper Peninsula of Michigan», *Cahiers des Archives de folklore*, n° 4, Québec, PUL, 1950, pp. 19-28.

    Brigitte Lane, *Franco-American Folk Traditions and Popular Culture in a Former Milltown*, Ann Arbor, Michigan, University Micro-films International, 1984, 593 pages (pp. 182-194).

21. A.F., Université Laval, Québec, enreg. 8-270, coll. J.-C. Dupont.

    A.F., Université Laval, Québec, doc. ms. 9166, coll. J.-C. Dupont.

22. Luc Lacourcière et Margaret Low, *Les contes d'animaux*, Québec, Celat, Université Laval, 1982, tome I, 784 pages ms. (pp. 569-575).

    Adélard Lambert, «L'hiver des corneilles», *Journal of American Folklore*, vol. 53, 1940, pp. 160-161.

23. Honoré Beaugrand, *Contes d'autrefois*, Montréal, Beauchemin, 1946, 274 pages (pp. 253-274).

    Brigitte Lane, *Franco-American Folk Traditions and Popular Culture in a Former Milltown*, Ann Arbor, Michigan, University Micro-films International, 1984, 593 pages (pp. 197-200).

24. Georges Monteiro, «Histoire de Montferrand: l'Athlète canadien and Joe Mufraw», *Journal of American Folklore*, vol. 73, 1960, pp. 24-34.

    H.-W. Thompson, *Body, Boots and Britches*, New York, Dover Publications, 1962, 550 pages (pp. 42-45).

25. Elisabeth Brandon, «Mœurs et langue de la paroisse Vermillon en Louisiane», Québec, Université Laval, thèse de doctorat, 1955, tome I, 569 pages ms. (p. 300).

    Jay K. Ditchy, *Les Acadiens Louisianais et leur parler*, Paris, Chez Droz, 1932, 272 pages (p. 235).

INDEX DES LIEUX LÉGENDAIRES

TERRE-NEUVE

1. Le bâtiment du mauvais temps

Un vaisseau fantôme erre au large du cap Saint-Georges.

ÎLE-DU-PRINCE-ÉDOUARD

2. La chasse-galerie

Des voyageurs se promènent dans les airs au-dessus de la mer.

NOUVELLE-ÉCOSSE

3. La cloche qui pleure

À Louisbourg, une cloche submergée se lamente toujours.

NOUVEAU-BRUNSWICK

4. L'arbre de vie

Des Acadiens trouvent un arbre merveilleux en 1755.

QUÉBEC

5. La danse du soleil

Le matin de Pâques, le soleil danse lorsqu'il se lève.

QUÉBEC

6. Le pont de La Malbaie

Le diable construit un pont et se réserve le premier être qui y passera.

QUÉBEC

7. La Passe-aux-Taureaux

La Vierge des marins envoie trois bœufs remorquer un navire.

8.   Le trésor des Poulin

Le diable change de place le trésor des Poulin.

9.   La naissance des ours

Deux petits enfants transformés en petits ours.

10.   La tornade du curé

Un curé fait prier pour qu'il pleuve et il survient une tornade.

11.   Les feux-follets des danseurs

Des feux-follets pourchassent des danseurs le soir de la Toussaint.

12.   La recherche des noyés

Une miche de pain bénit trouve le corps des noyés.

13.   Le petit cochon rose

Le voisin loup-garou prend la forme d'un petit cochon rose.

14.   La prairie du Cheval blanc

Un cheval blanc monté par une mariée court dans les Plaines.

15.   La fiancée morte d'ennui

Une femme meurt de désespoir en attendant son fiancé.

ALBERTA

16.   Le curé étouffe le feu

Le curé éteint le feu qui détruit son village.

COLOMBIE-BRITANNIQUE

17.   Les marins métamorphosés

Un talisman a le pouvoir de paralyser les humains.

TERRITOIRES DU NORD-OUEST

18.   Le marié loup-garou

Un homme court le loup-garou le soir de ses noces.

YUKON

19.   Le transporteur du Klondike

Les exploits d'un «paketeur» à l'époque des chercheurs d'or.

MICHIGAN

20.   Les quatre «hurlots» canadiens

Quatre géants du Canada coupent du bois dans le Midwest.

MAINE ET CONNECTICUT

21.   Les lieux hantés

Les Canadiens aux prises avec des fantômes américains.

NEW HAMPSHIRE ET RHODE ISLAND

22.   L'arche de Noé

Pourquoi les oiseaux émigrent au printemps.

MASSACHUSETTS

23.   Le diable en autobus

Une chasse-galerie à la moderne transporte les enfants.

24.   La rencontre des géants

Un géant français se bat contre le héros Paul Bunyan.

25.   Les lutins des bayous

Des petits êtres malveillants agacent les Cajuns.

Achevé d'imprimer
en mai 1991
MARQUIS
Montmagny, QC

Imprimé sur papier alcalin